JN126633

SHONAN BOOK ISSUE 05

CONTENTS

Ikeda Masaki
Suzuki Akito

対談 **池田昌生 × 鈴木章斗**

いつも全力で

シーズン開幕から期待を集めているMF池田昌生とFW鈴木章斗。
チームの勝利には二人の活躍が不可欠だ。
お互いの印象やトレーニングの取り組み方について語り合った。

取材・文=大西 徹　Words by Onishi Toru
写真=兼子慎一郎　Photography by Kaneko Shin-ichiro
(取材日：4月10日)

「1試合1試合を大事にしていた」(池田)

——最初にお互いの存在を知ったのはいつですか？

池田　僕は章斗のこと、そんなに深くは知らなかったです。阪南大高校から加入するということで、高校選手権にも出てたから、それでちらっと見たぐらいですね。

鈴木　僕は湘南の選手をほとんど知らなくて、練習に行ったときに知りました。

池田　章斗が練習に来たのを覚えてない。

鈴木　高校3年の4月か5月ぐらいに来ました。

——章斗選手は池田選手の第一印象を覚えていますか？

鈴木　いや、覚えてないです(笑)

池田　なんも印象ないやん(笑)。そもそも何日間いた？

鈴木　3日間ぐらいですね。覚えてるのはヤーマン(山田直輝)です。自分と年齢が近いんかなと思ってました。

池田　あの山田直輝を知らんかった？(笑)　俺、湘南に練習参加したとき、「あ、山田直輝がおる」って思った。

——池田選手も練習に参加してたんですね。

池田　はい。高校生のときに。もちろんヤーマンのことは知ってました。

鈴木　僕が覚えてるのは(谷)晃生くん(FC町田ゼルビア)がいたことかな。

池田　俺の印象はなかったってことやね(笑)

——その2021シーズンは池田選手にとって湘南1年目でした。

池田　J3から来て「やってやる」という気持ちで、死に物狂いで毎日を過ごしていた記憶はあります。1試合1試合を大事にしていたというか、チャンスをつかむためにギラギラした気持ちでやってました。

——2022シーズンに章斗選手が加入しました。当時お二人で話すことは？

池田　あまりなかったかも。でも、今年はしゃべることが多いです。アウェイへ移動するときにしゃべるし、プライベートでごはんも行きました。

——そういえば、お二人とも大阪出身ですね。

鈴木　昌生くんは大阪みたいな感じがしないですけど(笑)

池田　なんで？

MF #18
Ikeda Masaki

「もっと突き詰めていきたい」

鈴木　なんか染まってるから。

池田　それは言葉やろ？　標準語を使ってるだけで、性格とかは別に染まってないから。章斗と（奥野）耕平に「染まってる」って言われるんです。「昌生くんはもう関西弁が出えへんから、関西人じゃない」って（笑）

鈴木　ハハハハ。

池田　俺は関西を離れて7年目になるんで、無意識のうちに標準語になってしまうんですよ。章斗や耕平みたいにめっちゃ関西弁を使ってたら、なんか意識して使ってるみたいに思われるから嫌なんですよね。

鈴木　ハハハハ。「標準語が変」ってよく言ってます。

池田　「変」って言われてます（笑）

「いい試合をしていた中で
勝てた試合を逃した」(鈴木)

——今シーズンの序盤戦を振り返って、印象的だったことは？

池田　もっと勝点を取れたな、というのは正直な感想です。いいゲームができたけど負けてしまったとか、前半にいい戦いをしてたのに後半やられたとか、そういう試合がありました。結局、負けてるから何も言えないんですけど、それが自分らのいまの実力だと思います。手応えともどかしさを感じつつ、勝点を落としてきてるから、もっと突き詰めていきたいです。

——池田選手は開幕戦でゴールを決めました。

池田　点を取りたいとかアシストしたいとは思ってるけど、チームが勝つことが大事ですし、その試合も結局負けてしまったから。

——章斗選手は序盤戦を振り返って、いかがですか？

鈴木　僕はレッズ戦です。自分がゴールを決めたというのはあるんですけど、いい試合をしていた中で勝てた試合を逃したというか、そこで勝てれば次の試合もいい流れで行けたんじゃないかなと思います。本当に大事な一戦やったなと思うし、そこで勝てなかったというのがいまの自分たちの課題だとすごく感じました。

——章斗選手の先制点は、池田選手のパスから、田中聡選手がターンした後に生まれました。

池田　みんなゴールに向かう意識が強かったと思います。ボールに対していい距離感でいて、ボールに関わる選手も多かったことで生まれたゴールでした。

——そういう意識を持つことは大事なんですね。

池田　なくしちゃいけないと思いました。

——その後、章斗選手は相手DFのパスを奪って2点目を決めました。

鈴木　奪った後にゴールまで距離があったのでパスを考えたんですけど、後半の早い時間だったんで、ゴールの意識もあってシュートしたら入りました。

「パスじゃなくて
ゴールに向かってほしい」(池田)

——お互いのプレースタイルの特徴についてはどう感じていますか？

鈴木　昌生くんは、間で受けてターンするところや、エリア外からのミドルシュートがすごいなと思います。

池田昌生(いけだまさき)
1999年7月8日生まれ、大阪府大阪市出身。177cm、71kg
中泉尾JSC ▶ セレッソ大阪U-12 ▶ セレッソ大阪U-15 ▶
東山高校 ▶ 福島ユナイテッドFC ▶ 湘南ベルマーレ

「自分のやれるプレーの幅が広がりました」

ターンして前を向くことはだいたい分かってるんで、自分が動き出しやすいです。試合中によく目が合う選手と合わない選手がいて、今年は昌生くんとよく目が合っている気がします。

池田 俺は章斗に限らず、いろんな選手とプレーを合わせたいと思ってるから、目が合うことが多いかもしれないですね。

──そこでしっかり目を合わせることは大事なんですね。

池田 大事だと思います。パスを受ける前に選手と目を合わせることは大事にしてるというか、目が合わないからパスが出てこないな、と感じることはあります。受ける前にぱっと見て目が合えば、この選手はトラップしたら出してきそうやなと感じるので、それは大事かなと思います。

──池田選手から見て、今シーズンの章斗選手のプレーは？

池田 去年から試合に出始めて、一気に自信をつけて、大物感というかオーラというか、雰囲気が出てきたなと今年は思っています。それがゴールに向かうところのプレーにも出ている。やっぱりストライカーなんで、いちばんはパスじゃなくてゴールに向かってほしいし、エゴを出してもいい部分だと思っています。そういうところは貪欲に出せていて、ゴールも取れてるから、それは続けてほしいですね。

──町野修斗選手（ホルシュタイン・キール）が湘南で活躍していたときのようなオーラを感じますか？

池田 町野はオーラないでしょう（笑）。章斗は町野よりも若いし、もっと点を取ればもっと可能性を広げられると思うから、頑張ってほしいですね。若

い選手は試合に出たらこれだけ一気に伸びるんやなというのは、章斗を見ててめっちゃ思いました。去年は何試合出た？

鈴木 時間は短いですけど、試合数はけっこう多かったです（※リーグ戦27試合、ルヴァンカップ6試合、天皇杯4試合）。去年の経験がだいぶでかいなと思いますし、自分のやれるプレーの幅が広がりました。

──今シーズンはスタメンで出る機会が増えて、何か違いを感じますか？

鈴木 全然違いますね。途中で入ると相手が疲れてるので、自分のやりたいプレーができるんですけど、スタメンだと相手が万全の状態なので、そういったところで難しさは感じます。

「おとなしくなった気がします」（鈴木）

──お互いの性格はどう感じていますか？

鈴木 昌生くんは、最初の見た目はチャラくて怖いですけど、しゃべってみると優しいです。

池田 ほんまはもっと後輩たちをごはんに連れていきたいけど、俺は結婚して子どももいるから、行けるときに行くという感じです。章斗の性格か……。それこそ耕平としゃべってると、「章斗は猫をかぶってる」とよく聞くから、本来の章斗はもっと違うんじゃないかなと思っています。地元に帰ったときの章斗を見てみたいです（笑）

鈴木 ハハハハハ。

池田 絶対違うと思う。俺も違うけど、ギャップはそんなにないと思うんです。でも、章斗はギャップがすごくありそう。

鈴木章斗（すずきあきと）

2003年7月30日生まれ、大阪府東大阪市出身。180cm、73kg
EXE90FC ▶ ガンバ大阪ジュニアユース ▶ 阪南大高校 ▶
湘南ベルマーレ

FW #29
Suzuki Akito

Kaneko Shin-ichiro

鈴木　フフフ。おとなしくなった気がします。自分では。

池田　おとなしくなった？

鈴木　高校に入ってからおとなしくなりました。それまでうるさかったんです。サッカーをやってるとき、審判とか選手にめちゃくちゃ文句を言ってました。でも、高校の先生にそういう態度を注意されて、そこから変わりました。

──他人ではなく自分に矢印を向けることは、やはり大事ですか？

池田　大事だと思います。矢印を自分に向けるのがいちばんいいと思うし、コントロールの仕方は大事ですね。難しいですけど。

──湘南に来てから矢印を他人に向けそうになって自分に修正したことは？

鈴木　ありますね。

池田　それの連続だと思います。

「必要最低限のことしかしていません」(池田)

──クラブ公式サイトのアンケートを見ると、池田選手は「欲しいもの　筋肉」、章斗選手は「足りないもの　筋肉」と回答していました。

池田　筋肉は欲しいですね。あったほうがカッコいい(笑)

鈴木　腕とか肩の筋肉はあるとカッコいいですね。

──チームの中で理想的な筋肉をしている人は誰ですか？

池田　ガンちゃん(大岩一貴)はムキムキです。

──そうなんですね。筋トレルームの使用頻度は？

池田　僕はけっこう多いと思います。

鈴木　僕はそんなに多くないです。

──章斗選手の体が大きくなった印象を受けますが、実際のところは？

鈴木　自分ではあんまり感じないですけど。

池田　確かにでかくなった感じはする。

鈴木　周りからも言われます。ということは変わってるんじゃないですかね。

池田　それこそ1年目とか2年目に筋トレやってたやん。それやわ、絶対。そこでセレ(松村晟怜)とかジュン(鈴木淳之介)もでかくなった気がする。

鈴木　そうですね。試合にも出るようになって、筋肉がついてきたかなと思います。筋トレはコンディションに関係なく週2回やってました。どちらかというと、やらされてたのかな(笑)。最初は筋力のレベルが低かったので、まずそれを平均値に持っていってから、パワーを発揮する方法を身につけていきました。

──池田選手は、筋肉へのこだわりは？

池田　人それぞれに合ったバランスがあるので、むやみやたらに筋トレをやるのは良くないと思っています。自分に合った筋トレの仕方を見つけることが大事です。自分はめっちゃ鍛えるのではなくて、必要最低限のことしかしていません。ただ、週に2、3回は筋トレをしています。

──いまは筋力の話でしたが、前のポジションにいる選手が相手にプレスをかけ続けるためには何が

Kaneko Shin-ichiro

鈴木　なんか、いらんものを買っちゃうんですよね。家にソファがあるのに椅子を買ってしまって、結局使わん、みたいな。そのときは欲しいから買おうと思ったんですけど。

池田　先のことを考えてない。

鈴木　勢いですね。

──池田選手はそういうことは？

池田　僕も衝動買いをするときはありますね。でも、いらんかったと思うことはあまりないかも。

──いまは家族もいらっしゃいますしね。オフのときの過ごし方は変わりましたか？

池田　全く違いますよ。そらもう、全然。天と地ぐらい違います（笑）

鈴木　ハハハハハ。

──家族と過ごして最近楽しかった出来事は？

池田　やっぱり子どもがかわいいんで、毎日癒やされますね。このあいだも僕がアウェイに行くから、嫁が子どもと実家に4日間ぐらい帰ってて、おととい迎えに行ったときに、犬と息子がうれしそうなのを見て、「ああ、幸せやな……」と。

鈴木　ハハハハハ。

池田　尋常じゃないぐらい喜んでたんで。まず犬がすごく喜んでて、息子はまだ8カ月なんでしゃべれないんですけど、俺の顔を見てめっちゃ笑ってテンションが上がってたから、「あ、分かってんねやな」と思って、すごくホッコリしました。

鈴木　歩き始めるのはそろそろですか？

池田　あと半年ぐらいかな。ハイハイはそろそろ。でも、早い子はもうつかまり立ちをしてるんですよ。個人差があるらしくて、自分の息子は成長が遅いですね。寝返りも遅かったし。なんでそんなに成長の差が生まれるんやと思います。人それぞれやなという感じですね。

──子育ての方針みたいなものは？

池田　自由ですよ。やりたいことをやって、食べたいもの食べて、あとは人に迷惑をかけへんように。「ありがとう」と「ごめんなさい」を言えたらいいんじゃないですか。

必要ですか？

池田　体力というか、やっぱり肺じゃないですか。肺は5個ぐらい欲しいですね。

鈴木　ハハハハハ。

──肺はどうやって鍛えるんですか？

池田　いや、やるしかないですね。あれがキツくないという人はいないと思います。毎試合キツいですね。

鈴木　試合を重ねるしかない。あれに慣れとかないですよね。何十年やっても無理な気がする。

──でも、あれができないと試合には出られない。

池田　そうですね。僕らみたいな選手は頑張って走らないと出られないんで。

「兄が怒られてるところを見てた」（鈴木）

──クラブ公式サイトのアンケートで章斗選手は「最近の悩み　いらないものを買うときがある」と答えていました。

18

Ikeda Masaki

――ご自身の子どもの頃は、けっこう自由に？

池田 いや、僕の家は厳しかったですよ。すごく怒られてました。親が怖かったから家ではおとなしくしてて、外に出た瞬間に羽を伸ばしてました。

鈴木 ハハハハハ。

池田 でも、その羽を伸ばし過ぎて、怒られて、また家で怒られてました。だから外でもあまり羽を伸ばさないようになりました。

――そうなんですね。章斗選手の子どもの頃は？

鈴木 兄が2人いるんで。

池田 男？

鈴木 男。

池田 一緒や。俺も男3人の末っ子。

鈴木 兄が怒られてるところを見て、「それはやら

んとこ」みたいな感じでしたね。でも、中学生になるとそんなことは関係なくなってくるから、そこで羽目を外して怒られることはありました。

「そこまでやることは変わらない」（池田）

――自分自身のプレーについて、今後の抱負を聞かせてください。

池田 試合に長い時間出場し続けることは、自分にとっても、チームにとっても大事です。自分が試合に出ることで、チームの勝利に貢献できると思っています。

鈴木 僕はやっぱり点を取り続けることです。ベンチになることもありますけど、結局何点も取ってい

Suzuki Akito

29

ればスタメンに入れると思います。相手にもよりますけど、スタメンに入れない理由を見つけて、そこをもっと良くすることが大事かなと思っています。

──今シーズン4バックを併用する中で、前の選手の役割はそんなに変わらないのか、それともやらないといけないことが増えているのか、そのあたりはいかがですか？

鈴木　FWは2トップなので、あまりやることは変わらないですけど、4-4-2のほうが攻撃の時間は長いかなとは思います。どちらにも良さがあるというか、どちらでもいいかなと思っています。

池田　僕個人でいえば、そこまでやることは変わらないですね。後ろの選手とかウイングバックをやる選手はある程度変わると思います。ウイングバック

からサイドバックや3センターバックになる選手からは、相手の立ち位置が違うように見えてくるという話を聞きます。

──最後にサポーターの皆さんに一言お願いします。

池田　どんなときもサポーターの皆さんには一緒に戦ってほしいと思います。僕らはピッチで全力を尽くして、日々のトレーニングでも100パーセントの力を出しています。僕たちを信じて、引き続き応援していただきたいです。

鈴木　サポーターの皆さんの声援は僕たちにとって大きな力となります。結果がすべてだと思うので、個人としては点を取り続けて、チームとしては上位を目指して頑張ります。

SB

対談 鈴木雄斗 × キムミンテ

リーダーシップの共鳴

今シーズンの湘南ベルマーレを支える二人のリーダー。
互いの印象深いプレーを振り返りつつ、
チームを固く結束させる力と自分たちの成長に焦点を当てる。
二人の対話から、いまのチームにとって大切なことが明らかになる。

取材・文=隈元大吾　Words by Kumamoto Daigo
写真=兼子慎一郎　Photography by Kaneko Shin-ichiro
（取材日：4月10日）

「ミンテが札幌にいたときから 見ていた」（鈴木）

——お二人はこれまで、対戦したことはありますか？

鈴木　ないよね？

キム　いや、一度あるよ。俺が鹿島のときに磐田とアウェイで対戦して3-3で引き分けた試合（※2022年10月）。それは覚えてますね。

鈴木　ああ、覚えてる。いま言われて思い出しました。

——鈴木選手はゴールを決めていますね。

キム　決めてた？

鈴木　決めた。それ覚えてないでしょ（笑）

キム　まったく（笑）

鈴木　樋口（雄太）が1点目を取ったの覚えてる？

キム　取った。ミドルだよね。

鈴木　確かその次に取ったのが俺なんだよ。

キム　ああそうか。その試合はとにかくうちの左サイドがボッコボコにされてたイメージがある（笑）

——つまり鈴木選手のサイド。

キム　そうです。大変でした。

鈴木　うちが前半3-1でリードしたんだよね。でも後半しっかり追い付かれた。

——当時のお互いのプレーヤーとしての印象を聞かせてください。

鈴木　俺はミンテが札幌にいたときから見ていたからね。ビルドアップとかめっちゃいいなあって当時から思ってた。だから今年湘南に来て、誰のプレーが楽しみか、みたいな質問にもミンテって書いてたからね。

キム　そうなんだ。僕はそれまで正直あまり知らなかったんですけど。

鈴木　だろうね（笑）

キム　ただ俺、いままでヘディングはほとんど勝ってきて、2回続けて負けることってないんですよ。パトリック（名古屋グランパス）だろうが、ウェリ（ウェリントン、アビスパ福岡）だろうが、なにかしら対策して勝ったり引き分けたりして、ポンポンって立て続けに負けることはなかったんですけど、その磐田戦で後半の始まりに2回サイドからヘディングで

「久々にJ1のセンターバックを見た感じがした」

入られて負けたんですよ。それで監督の岩政大樹さんに怒られて。その印象は残ってます。

鈴木 それ俺だったの？

キム そうそう。サイドから入られて2回先に触られた。それ以外は杉本健勇（大宮アルディージャ）と戦ってもほぼ勝ってたから、あの2回の印象はめちゃ強いです。なかなかない。

鈴木 全然覚えてないけど、磐田ではサイドはそういうボールを入れて俺に競らせろみたいなことをけっこう言われてた。

キム 川崎のサッカーも興味があったから見ていて、雄斗が後半出てくるのは分かっていたんだけど、時間が短いからどういうタイプかは分からなかった。

鈴木 川崎の頃は最後を締めるクローザーの役割だったからね。

「雄斗は僕が思っている以上の プレーをする」(キム)

――ミンテ選手は鈴木選手が加入すると聞いてどう思いましたか？

キム 磐田はJ1に上がってきたところだったし、ほんとに取れちゃうんだと思いました。ルキ（ルキアン）と2人、「え、そんないけるの？」みたいに思ってましたね。

鈴木 俺も当初は移籍すると思ってなかったよ（笑）

キム ハハハ。雄斗は安定したパフォーマンスを出せる選手という感覚があったし、二人ともいいなって思っていました。

――そしてシーズンが始まり、実際に同じチームで一緒にプレーするようになってからの印象はどうでしたか？

鈴木 ミンテには言ってたけどね。「ミンテいいねぇ」って。

キム ハハハ。キャンプ前ね。

鈴木 守れて足も速いけどビルドアップが全然ダメみたいな選手はけっこう多いんですよ。でもミンテは速いし、強さと高さがあって、ビルドアップもできる。川崎のときも谷口彰悟さん（アル・ラーヤン）や奈良ちゃん（竜樹、アビスパ福岡）とやってほんといいセンターバックだと思っていたから、ミンテとやって久々にJ1のセンターバックを見た感じがした。そうやって全部を持ってる選手ってなかなかいないと思いますよ。

キム 雄斗は序盤戦から安定したパフォーマンスを出していたし、チーム内で最も活躍した選手だと僕は思ってる。いちばん安心できるというか、信頼できるというか。チームを一緒に支えていこうという感覚があります。

鈴木 ありがとうございます（笑）

キム 一緒にやっていると、雄斗は「え、こんなに速いの？」「え、そんなに強いの？」「そんなドリブルもできるの？」みたいな、僕が思っている以上のプレーをする。なんでもできて、しかも中途半端ではなく、それが特徴になるぐらいの能力を全体的に持っている。全部の能力が想像を超えてくるから、横にいてほんと心強いですね。

鈴木 そうやって言ってもらえるのはうれしいけどさ、大変じゃない？「自分の特徴は何？」「ストロングポイントはどこ？」って聞かれても俺ないもん（笑）

鈴木雄斗（すずきゆうと）

1993年12月7日生まれ、神奈川県横浜市出身。184cm、77kg
大分トリニータU-12 ▶ 柏レイソルU-12 ▶ 柏レイソルU-15 ▶
横浜F・マリノスジュニアユース ▶ 横浜F・マリノスユース
▶ 水戸ホーリーホック ▶ モンテディオ山形 ▶ 川崎フロンターレ
▶ ガンバ大阪 ▶ 松本山雅FC ▶ ジュビロ磐田 ▶ 湘南ベルマーレ
※2011 2種登録（横浜F・マリノス）

MF #37
Suzuki Yuto

DF #47
Kim Min Tae

「試合に入ったらスイッチが入る」

キム　ハハハ。俺は他の選手と違うところを見てもらいたいから、そういうときは割り切って「足元」って言うかな。速くて強いセンターバックはたくさんいるので。

鈴木　確かにそれはありだね。特に俺は特徴をハッキリ知られていないから。

キム　たぶん俺も、一緒にやっている選手じゃないと足元があるって思われないんじゃないかな？

鈴木　いや、それは俺分かってたよ。完全に分かってた。札幌の頃から、持ち方とか、ちょっと持ち出して左に出したりとか、こういうのが大事なのよって、試合を見て俺もけっこう研究してたから。

──キャラクター的にはどうですか？

キム　まあ僕からしたら、雄斗はマジでずっとしゃべってますね。試合中はもちろんなんですけど、それ以外でも、キャンプのときもいつもなんかボソボソってどこかで必ずしゃべって（笑）

鈴木　ハハハ。そんなだったかな（笑）

キム　というのも、誰とも話せるというか、「移籍してきてあんなにすぐなじむヤツいる？」って思ってました（笑）。僕は逆のタイプなので。

鈴木　湘南に来て、楽しいなあって思って毎日過ごしていただけなんだけどね（笑）

キム　それでもグラウンドに入ったらしゃべらない選手ってけっこういるんですけど、雄斗はずっとコーチングもしてるね。

鈴木　やっぱりしゃべらないとね。例えば自分が右サイドバックで出ていたとして、どうやってチームでボールを取るかとか、どうやって攻めるかって考えたら、俺はしゃべらないと無理だなって思うから絶対しゃべるね。

キム　去年で言うと、みんなそれぞれしゃべっているとは思うけど、チーム全体に関しては自分が言わなきゃと思っていたし、みんなも僕に任せている感じがあった。でも今年は雄斗がけっこう言ってくれるから、一緒にしゃべっている感覚があります。

──逆に鈴木選手から見たミンテ選手のキャラクターは？

鈴木　ミンテは「アツい男」っていうイメージをみんな持っていると思うんですけど、いまはキャプテンを任されて、ミンテも頑張ってるよね。

キム　ハハハ。

鈴木　最近結果が出ていなくて、みんなが自分に矢印を向けているのも分かってるけど、でもみんなもっとできるはずだし、もっと高いレベルを求めないと勝てないから、俺は（強く）言いたいって思ってた。でもミンテはすごく冷静にみんなと会話してる。そういう姿を見て、「すごいね。よくそうやって建設的に話ができるね」って広島戦の後に言いました。ミンテは「そういうふうに伝えないと若い選手はどんどん落ちてしまう可能性もあるから」って、頭ごなしに言うのではなく、みんなのことをいろいろ考えて発言している。それを見て、ああ、同い年なのに立派だなって思いました（笑）

キム　ハハハ。どうだろうな。俺けっこうアツい人ぶってるんですよ。ほんとはきちんと考えようとしているし、どっちかというとそっち系の性格なので、たぶんあまりしゃべらないし。でも試合に入ったらスイッチが入るというか、集中すると他はどうでもよくなるんですけど。ポジション的にも冷静なほうが重要だと思ってるから。

鈴木　そうだね。

キムミンテ

1993年11月26日生まれ、韓国（仁川広域市）出身。187cm、84kg

富平高校 ▶ 光云大学 ▶ ベガルタ仙台 ▶ 北海道コンサドーレ札幌 ▶ 名古屋グランパス ▶ 鹿島アントラーズ ▶ 湘南ベルマーレ

キム　だからなるべく冷静さを保とうとしますし、トライ＆エラーを続けている感じですかね。言うときはバチンと言うんですけど、みんな真面目やから、強く言うより刺さるような言葉を僕は言いたいし、冷静に話を聞くほうがいいと思ってる。そういう自分の感覚を広島戦の後に雄斗と話しました。

鈴木　試合が終わった後は、負けて悔しいとか、やっぱり少しテンションが上がっているんですよ。そういうときにどういう言葉を掛けるかは難しいよね。

――その広島戦のように、負けてしまったもののポジティブな内容の試合は多く、結果に引っ張られて下を向いてしまうことがいちばん良くないと思うのですが。

鈴木　自分たちの取り組みの中で、トライしてエラーが起きて修正して、という作業を繰り返してどんどん良くなっていくものだと思うから、結果が出ていないからすべてがダメと考えるのは違うと思います。僕らはどの相手でもある程度やれる。完敗なんて1回もないし、だから俺はどの相手に対しても本気で勝てると思っている。そういうところはみんなとしっかり共有していかなければいけないと思っています。

キム　そうだね。正直どの試合も五分五分の戦いはできるんですよ。浦和戦も川崎戦もそうだし、広島戦も退場してしまったけど前半いい時間帯もあった。セレッソ戦も先に点を決めていたら勝ちに持っていけたと思います。だからもったいないんですけど、ただ足りない部分もハッキリある。しっかり勝ち切れるかどうかがビッグクラブとの差だと思うので、そういうところで自分とか雄斗とかベテランが落ち着かせることが必要だと感じています。もちろん戦術や監督の指示に沿ってプレーするんですけど、やっているのは自分たちだから、選手の中で誰かが引っ張っていったりコントロールしたりすることも大事。雄斗としゃべりながら劣勢の試合を引き分けに持っていくとか、そういうところまでやっていかないといけないかなと思っています。

「どの相手に対しても勝てると思っている」(鈴木)

――五分五分の戦いを勝ち切るためには何が必要ですか？

キム　突き詰めれば自分たちがゴールを決めるか、相手に決められるかなので、僕は守備も攻撃もボックスの中での戦いだと思っています。いいセンターバックがいるチームは守り方がしっかりあるんですよね。なんでもないブロックに見えても全部考えていて、駆け引きの中で可能性を狭めて防いでいる。僕はセンターバックだからそれをやらなければいけないし、前線の選手はここぞというところで点を取ることが求められる。上のチームと対戦すると、そういうクオリティーの差がまだあるのかなと率直に思いました。

鈴木　僕もまさしくゴール前の質だと思います。点を取れるか、守れるか。そのために、守備ならいかにそこに持ってこさせないか、攻撃ならどうやってそこに持っていく回数を増やすかをいま求めている。その中で、守備で言うと、前から取りに行くけどどうしてもキツイ時間帯はある。そうなったときに、1回しっかりブロックを組んで守ることもしないといけない。攻撃についても、時間帯や試合の状況によっては遅攻にしてゴールの確率の高いところを探してもいい。そういうゲーム運びがまだまだ足りないと感じます。ピッチの中にいる選手たちがそれを考えて表現できるようにならないと拾える勝点も拾えなくなってしまう。ゴール前で守れればいいし、どんな形であれ点を取れればいいんですけど、ゲーム運びは大事かなと思いますね。

キム　うん、チームとしてもう少し賢くならないといけないなと思います。頑張れる選手はたくさんいるし、そこは湘南のいいところだけど、相手からすると、頑張れる、でも隙はあるって見られていると思う。まさしく広島はそんな感じでした。ドシッとしていて、前に頑張れる選手がたくさんいるけど、回

せるときは後ろで回すし、無理やり前には行かない。相手のコーチングとか、塩谷（司）選手が話している声とかを聞くと、まだまだ学ぶところがたくさんあるなと思いました。

鈴木　どっしり守れていれば、別にそこでやらせてもいいという、俺も広島にはすごくそれを感じた。僕らがゴール前まで行ったシーンも、彼らがバタバタしている感じはあまりなかったなって思う。

キム　いつも雄斗が言うんですけど、行ける可能性が20〜30パーセントしかないのなら、いったんやめて他のタイミングを探そうって。失わなければそのぶん守備の時間が減っていくわけなんですよ。僕も札幌では90分ボールを持っていたら失点しないという考えのサッカーをやっていた。それを自分なりの強みとして成長してきたのに、まだうまく出せていないことが自分の中でもどかしく思います。

鈴木　もちろん失点が多いから守備はすごく大事なんだけど、このシーンは無理に行く必要があったのかとか、ボールを持てていないところも俺ら自身で詰めていかないといけないよね。

──序盤戦で印象に残っている試合を教えてください。

キム　僕は広島戦の後半が印象に残っています。10人になってもみんな諦めずに最後の最後までしっかり体を張った。もちろん1人少ないから前から取りには行けないし、危ないシーンはたくさんあって、シュートも打たれたんですけど、数的不利でもしっかりブロックを組めば簡単には崩されなかったんですよね。みんなのメンタルとゴール前の守備は悪くなかったし、これをなんとか形にしたいなと思っています。

鈴木　1人少なかったからおのずと押し込まれる展開が増えたけど、4−4−1でも守れた。ということは、11人でも引き込めばやられないと感じられたのは大事だと思います。

──ここから上位に食い込んでいくために必要なこともあわせて教えてください。

鈴木　いま話したこともももちろんだし、あとは一戦一戦きちんと向き合うことですよね。負けていると焦りが出てきてしまうものだけど。

キム　そうだね。

鈴木　勝っていても負けていても、まずは目の前の試合に向かうことがいちばん大事。それは智さん（山口智監督）も言ってる。負けて反省することは大事だけど、引きずる必要はまったくなくて、とにかく次に向かうことがほんとに大事かなと思います。

キム　僕は守備の選手なので、失点にフォーカスするとすごくストレスを受けるんですよ。でも考えてみると、去年はシーズンの途中からチームに入ってきたから、自分のパフォーマンスを見せることで精いっぱいで、結果的にそれがチームの成績につながっていった。去年は自分と（田中）聡が真ん中でしっかりすれば大きな失点はないと思っていたし、今年も雄斗が入ってきてくれて特に右サイドは安定しているので、だから他のことは考え過ぎず、自分のパフォーマンスをしっかり出せばチームとしても安定していけるかなと。いろいろ考え過ぎていたので、自分のパフォーマンスにもうちょっとフォーカスしてやっていきたいなと思っています。

鈴木　それはあるな。

キム　チームのことを考えてくれる人がいるので、少し任せようかなと（笑）

鈴木　ハハハ。でも俺も去年磐田で同じようなことがあった。俺もチームのことを考え過ぎて自分の良さをまったく出せていないときに強化のスタッフに呼ばれて、「どうした？」って言われて。チームのことを考えたら（攻撃に）上がろうと思えなくなったって答えたら、「分かるよ。でも自分の良さを出さないと普通の選手になっちゃうよ」って。俺はチームのことを考えていたけど、強化は僕個人をもっと大事にしろと言ってくれた。そこから振り切れて、バンバン攻撃に行けるようになったんだよね。自分さえければというのは違うけど、あまりチームのことを考え過ぎるのも良くないなと去年学んだので、自分のパフォーマンスありきでチームを大事にしないとなって思いますね。

Kaneko Shin-ichiro

37

Suzuki Yuto

キム　そうだな。

鈴木　反省しながらやるべきことをやってるし、「俺らは大丈夫だ」という強い気持ちを持って臨みたいなと思いますね。

キム　サポーターとも話す機会がありましたし、ひとつ勝てばグッと（結束が強く）なると思ってる。僕らは必ず勝つし、降格なんて絶対しない。でももっと上に行きたいので、そのために考えなければいけないことや、やらなければいけないことは、個人としてもチームとしてもある。ただ、さっき言ったとおり、僕はまずは自分のパフォーマンスにフォーカスして、基礎に戻ってやっていければと思います。いまも話しながらいろいろ考えたり思ったりするんですけど、まずはベースに戻ることをみんなにも意識させられたらと思います。勝つか負けるかはその後の話なので。

――キャプテン、副キャプテンという肩書によって責任が増すところはありますか？

鈴木　いや、俺は関係ないと思うけどな。

キム　俺もそれはないんですけど、たぶん僕自身がなにより勝ちたいからなんじゃないかな。だから自分のこと以外にもいろいろ考えていたらそう（自分のパフォーマンスが疎かに）なってしまったのかなと思います。

鈴木　それよ、それ。結局勝ちたいからなんだよね。俺も活躍したいけど、自分の活躍よりチームが勝てばいい。チームのことを考えるっていうのは絶対そうなんだよ。若い頃は違いましたよ。若い頃は俺も前をやっていたし、自分が点を取ったりアシストしたりすることがチームのためになるって個人ファーストで考えてたけど、年齢とともに変わってくるよね。

キム　そうだね。

「自分の子どもにもそうなってほしい」(キム)

――育児の話はしますか？

鈴木　このあいだミンテの子が通っている学校の話を聞いたね。

キム　そう、教育の話とかちょっとしましたね。知り合いの子どもが中2ぐらいの女の子なんですけど、乗馬が好きで、その話をうちの嫁とめっちゃ楽しそうにしているのを見て、子どもが自分の夢に対してそこまでギラギラできるのは素晴らしいなと思った。なんて言うんだろう……ガって心を動かされましたね。

鈴木　そんな子どもなかなかいないもんね。

キム　うん、たぶん見たことない。自分でしっかり

47

Kim Min Tae

考えて、自分がやりたいことを一生懸命頑張ったり、思っていることをきちんと発言したり、自分の子どもにもそうなってほしいなって思う。

鈴木 俺は昔そうだったんですよ。コーチに何か言われても自分の意見をとにかくしゃべっていて、そしたら、「ほんとおまえは言い訳ばっかするよな」ってよくコーチに言われてた。それはいまでもすごく覚えてる。

キム うんうん。

鈴木 でもいま思ったら、それって大事じゃないかなって。相手の意見を聞き入れることが俺には足りなかったので、それは良くないけど、自分の考えをしっかり持って、間違ってないと思ったら主張して、そうやってブレない軸を持つのはすごく大事かなと思いますね。

──子育ては楽しいですか？

鈴木 楽しいですよ。大変ですけど。

キム 大変です。

鈴木 3人は大変だよね。

キム （子育ては）世界でいちばん難しいです。嫁を尊敬してます。

鈴木 それはあるね。

キム ワンオペで3人見るのはほんとに大変。

鈴木 大変だよなあ。

キム そのおかげで僕はサッカーできてます。

鈴木 そうだね。そういえば広島に負けたときに、子どもが本を持って写真を撮って送ってきて。その本のタイトルが、勝たなくてもいいみたいな、要するにいま自分が頑張っていることを表現することに意味があるみたいな本でね。

キム （写真を見て）おお、かわいいなあ。これ撮って嫁に送るわ。

鈴木 こういうのを見ると頑張ろうと思える。子育ては大変だけど、それ以上のものがあるなあって思いますね。

キム いいなあ。

鈴木 そういう教育を俺はしたいんですよ。結果に引っ張られるとどうしても暗くなっちゃうけど、自分が後悔しないぐらいまで努力して頑張って結果ダメだったらいいじゃん、また次頑張ればいいよって。もちろん自分はプロだから結果を求めるけど、子どもには結果がすべてじゃないって伝えたいかな。

キム いいなあ。うちの子は帰ったら絶対「なんで負けたの？」って言う。

鈴木 ハハハハハ。

キム めっちゃ細かく、「パパはなんでシュートしに行かなかったの？」って。めちゃくちゃ上からです（笑）

Hiraoka Taiyo
Fukuda Sho

対談 平岡大陽 × 福田翔生

ゴール前の感覚

J1第8節横浜F・マリノス戦で今シーズン初ゴールを挙げた二人。
ワンタッチでの得点を意識する平岡大陽と、メンタルの重要性を説く福田翔生。
プロの世界で互いに高め合う二人が、それぞれの役割と成長について語り合った。

取材・文＝隈元大吾　Words by Kumamoto Daigo
写真＝野口岳彦、兼子慎一郎　Photography by Noguchi Takehiko, Kaneko Shin-ichiro
（取材日：4月17日）

「ワンタッチゴールを増やしたい」(平岡)

——クラブ公式サイト内の選手プロフィールの「50の質問」の中で、平岡選手は国内で行ってみたい場所に福岡を挙げていますね。福田選手が小倉出身なので、まずはその話から伺いたいのですが。

平岡　書きましたね。福岡はおいしいものが多いから。おいしいもの多くないですか？

福田　えー、多いんじゃない？

平岡　魚はおいしいですか？

福田　おいしいよ。でもたぶん同じじゃない？　もつ鍋はマジでおいしいけど。

平岡　もつ鍋食べたいわー。

福田　福岡はごはんを食べるところの雰囲気がいいよね。でもあとはそんなに変わらないと思うよ。俺は慣れちゃってるのもあるかもね。

平岡　もつ鍋のオススメのお店は？

福田　「田しゅう」ってお店おいしいよ。

平岡　へえ。福岡駅付近？

福田　えっとねー、天神だね（※本店）。

平岡　そのへんに住んでいたんですか？

福田　高校3年間がそこらへんで。

平岡　東福岡高校ですよね。そしたらオススメを聞いてお金だけくれたら行くので。

福田　じゃあ今度教える。

平岡　それか一緒に行っておごってくれてもいいんですけど。

福田　ハハハ。来なよ福岡。

平岡　行きます（笑）。マジで行く。

——お二人は第8節横浜F・マリノス戦で今シーズン初ゴールを決めました。福田選手はJ1初ゴールでもありましたが、あらためてそれぞれ気持ちを聞かせてください。

平岡　試合状況でいうと、劣勢の中で少ないチャンスを決められたことはよかったです。でも自分が決めたときは、同点に追い付いてここから行くぞみたいな感じだったので、うれしいというよりかは「もっと行こう」みたいな感じでしたね。それは表情にも出ていたと思います。振り返ると、ペナの枠ぐらいの遠めの距離からワンタッチで打った、意表を突いたシュートだったので、よかったなと思いますね。

福田　あれはうまかったね。

平岡　見てた？　アップしてましたよね。

MF #13
Hiraoka Taiyo

「今年はもっと点を取りたい」

福田　うん。ハイライトも振り返りで見たけど、あれは絶対取れないだろうなと思った。すごくいいタイミングで打ったし、見ている側もちょっと逆を突かれたね。

平岡　ワンタッチでシュートを打つって決めていたので、ボールがこぼれてきたときには無意識に打っていました。ただ、今年はもっと点を取りたいと思って臨んでいるので、やっと取れたという気持ちのほうが強いです。点を決めたけど、その喜びよりも「もっとやらな」って思えたことはひとつ成長かなとも思う。もっともっと攻撃のクオリティーを上げてああいう場面を増やせたらいいなと思うので、きっかけになればいいですね。

福田　自分の場合は、(退場者が出て)フィールドが9人になったときに、むしろポジティブに捉えていました。自分の中で1点取れそうな雰囲気があったので、ほんとにいい形で取れたかなと思います。ちょっとタッチが中に入り過ぎたので、シュートを打てる場所にもう1回冷静に置きかえて打った感じですかね。

平岡　なるほどねえ……。翔生くんの形に持っていったなと思ったし、ああいうところで冷静に決められるのはすごいなと思います。逆に俺は、ああいうのを決めるのが難しい派なので、本能でワンタッチシュートとかならできたかもしれないけど、決めなければいけない状況でしっかり決めるのはFWらしいなと思うし、すごいなと思いますね。

福田　(照れ笑い)

平岡　ハハハ。ほんとすごいですよ。あれも決めてほしかったけどね、俺がパスを出して(相手GKと接触して)PKになりかけたシーン。

福田　いや、あれね、意外と大陽のパスが前やってん。

平岡　そうなの?

福田　そう。ヤバいと思って俺も迷ってああなった。でもあれも決めないといけないね。

──共にゴール前の混戦を縫って決めました。簡単ではなかったと思います。

平岡　あのエリアで自分にボールが来るときは、ゴールとつながるというか、常にワンタッチでシュートを打てるぐらいの気持ちで入っています。パス(の選択)はその次。そういうところはもっと突き詰めていきたいですね。でもたぶんFWは、僕がいま言語化したことを本能でできると思う。だからFWでプロになっていると思うんですよ。翔生くん、プレーは感覚じゃないですか?

福田　うん、感覚だね。

平岡　感覚でしょ。感覚でそれができているんですよね。

福田　そうだね。でも大陽はいまのままでいいんじゃないかな。

平岡　うれしいな、そんなん言ってくれて。

福田　そのままいけば代表にも行けると思うし。

平岡　そんなことないっす(笑)

福田　照れてるやん(笑)

平岡　でも俺、最近思ったのは、ワンタッチゴールを増やしたいです。だってワンタッチゴールを決められるということは、ボールに対してワンタッチで打てるコースに入れた自分がいるってことやから、いちばんシンプルじゃないですか。

福田　そうだね。ワンタッチゴールを決められるってすごいよね。簡単に見えるけどさ、けっこうすごいよね。

平岡　そう、いちばんシンプルにゴールできるという。

福田　うん。したたかでいいなあ。

──福田選手は「シュートコースが見えていた」と

平岡大陽(ひらおかたいよう)
2002年9月14日生まれ、兵庫県宝塚市出身。173cm、68kg
長尾ウオーズフットボールクラブ ▶ セレッソ大阪西U-15 ▶
履正社高校 ▶ 湘南ベルマーレ

「時が止まったような感じがした」

話していましたね。

福田　ああ、見えましたね。時が止まったような感じがして、周りが静かになって、プレーだけに集中できている感覚があった。冷静さは大事だなと思いました。

――一方で、ミドルシュートには難しさもありますか？

福田　やっぱりどうしても力んでしまうし、力が入って浮いてしまうことはあります。ね、大陽？

平岡　そうですね。(池田)昌生くんとかは得意なので、どの位置からでもゴールを狙うところは参考にしたい。結局はゴールを意識できているかどうかだと思うし、それができているときはたぶん自然にミドルも出てくると思う。難しいのは、ミドルを打とうとするときに、パスとかもうひとつ時間を置くとか、いろんな選択肢があること。大事に行ったほうが入るんちゃうかって思いがちじゃないですか。

福田　もう1個の選択肢を考えちゃうと絶対入らないよね。

平岡　そうそう。ゴールを決めるときってもう……。

福田　選択肢は1個しかない。

平岡　ホンマそうっすよね。俺もマリノス戦は「打つ」って決めたから足が出て入ったけど、決めていなかったらボールを持って運んだりしていたと思います。

「持ってるものがすごいから」(福田)

――先ほど本能の話がありましたが、そういうシュートの決断は感覚なのか、それとも経験が研ぎ澄ましていくものなのでしょうか。

福田　どっちも大事ですね。プレーしているときの感覚もあるし、シュートを決めた経験から分かることもあるし。どちらも高めていかなければいけないと思います。ゴールを決めたら自信が付くし、決めたときの感覚ってすごく大事だと思うので、あの感覚を忘れずにやっていきたいですね。

平岡　気持ちいいっすよね。

福田　それはある。

平岡　なんなんやろ、点を決めたときのあの感覚。決めた後キツくなくなるんよな。

福田　なくなる。ハイになってなんでもできるよな(笑)

平岡　マジで得点は大事やわ。中盤で点を決められる選手ってフォーカスされるじゃないですか。日本代表の田中碧さん(デュッセルドルフ)とかもそうやけど、「結局おまえ決めるんかい！」みたいな選手に自分も頑張ってなりたいですね。

――お互いのプレーのいいところを聞かせてください。

平岡　翔生くんはこれで得点を決め出したらもうマジで手の付けようがないですね。

福田　ハハハ。

平岡　だって守備に行きまくって走りまくってキレがあって献身性があって、ゴール前もうまいので、実際J3でたくさん点を取ったし。ここからリミッターが外れてゴールを量産し始めたら、より怖い選手になると思います。

福田　大陽、なんか欲しい物ある？(笑)。でも大陽もすごく走れるし、パスもあるし、ドリブルで持っていく力もあるし、なんでもできる。しかも力強いんですよね。1回びっくりしたのが、東京ヴェルディ戦のときに、絶対倒れるだろうなと思ったところでグニャンっていって倒れなかったんですよ。あのときに、「ああ、やっぱすげぇわ」って試合中めっちゃ思

福田翔生 (ふくだしょう)

2001年3月23日生まれ、福岡県北九州市出身。173cm、63kg
小倉南FCジュニア ▶ 小倉南FCジュニアユース ▶ 東福岡高校 ▶
FC今治 ▶ Y.S.C.C.横浜 ▶ 湘南ベルマーレ

FW #19
Fukuda Sho

13

Hiraoka Taiyo

いました。だから大陽も得点を決め出したらもうほんと……。

平岡　ハハハ。

福田　いや、決めると思いますけどね。

平岡　もうテキトーに言ってるで。

福田　いや、強いしうまいし、持ってるものがすごいから、自分が相手だったら嫌だよ。

──グニャンと伸びるとは？

福田　相手に当たったときとか普通だったら弾き飛ばされたりするんですけど、大陽の場合はグニャンっていくんですよ。体が柔らかくて、力強さがあって、しなやかなんです。

平岡　それはよく言われます。体が柔らかいからひとつ伸びるみたいな。見ていてケガしそうで怖いとも言われますけど。

福田　でも大陽の場合は見ていて全然ケガしなそうだよ。

平岡　いまのところね。でも気を付けないとね。翔生くんはサポーターの方々も見ていて分かると思うけど、攻撃はもちろん、守備のときに野獣的な追い方ができる体力や俊敏性がある。あれだけ追い回してくれたら味方としても助かるし、いつまでもキュンキュン走れるスタミナはうらやましいですね。

福田　でもみんなとそんなに……。

平岡　変わるよ。

福田　かなあ？

平岡　めっちゃ変わるよ。

福田　あ、ほんと？

平岡　マジで全然違う。走り込みとかしてたんですか？　でもたぶんそんなの関係ないと思うんですよね。持っているものだと思う。

福田　関係ないね。うーん、なんだろうね。

「ホンマ優しい人やなと思います」(平岡)

──プレーについて二人で話すことはありますか？

福田　するかな？　あんまりしないね。

平岡　あまり深い話はしないですよね。チョケてるだけっすよね（笑）

福田　だいたいチョケてるよね（笑）

平岡　翔生くんってマジで何考えてるんですか？（笑）

福田　ハハハ。俺ね、何も考えてないって言われるけど意外と考えてるんだよ。

平岡　あ、でも考えてるなとは思います。サッカーとかゴールのときとかは分からないですけど、普段いろんな人との関わりを見ていると、「ああ、気を使える人なんやな」とか「優しい人なんやな」と思いま

Kaneko Shin‑ichiro

すね。マジ優しいんですよ。メシは連れて行ってく
れないですけど。

福田　ハハハ。

平岡　人との接し方を見たり、会話を聞いたりして
いると、ホンマ優しい人やなと思います。

──お互いのプレーについて、プラスアルファで求
めたいものはありますか？

福田　いや、大陽はもうこのままやってくださいと
しか言いようがないです。

平岡　なんかアドバイスちょうだいよ（笑）

福田　アドバイスって……いや、このままやり続け
ることじゃないかな。そうすれば……。

平岡　俺（上に）行けます？

福田　うん、行けるっしょ。

平岡　いやあ、無理やろなあと思ってんねんけど。
厳しいなと思うけど。

福田　なんで（笑）。今スタメンで出ていて、点も決
めて、まだそう思う？

平岡　思う。

福田　マジ!?

平岡　心の底から思う。

福田　なんで？

平岡　俺いつもそうなんですよ。厳しいなあって。
厳しいというか、このままじゃダメやなって。マジ

でずっと思ってます。

福田　そうなん？　へぇ。

──自己評価が低い。

平岡　俺は高くないですね。翔生くんはどっち系で
すか？

福田　俺はそうなったら無理だから、絶対そう思わ
ないようにしてる。

平岡　思わないようにしていても思っちゃうのが人
間じゃないですか。どうやって気持ちを上げていく
んですか？　何かやるとか、映像を見るとか、思い
込むしかない？

福田　思い込ませるね。「俺、最高や」って（笑）。
ずっと反省してたら俺は気持ちの切り替えがあんま
りうまくないから。

平岡　へぇ。試合のときも？

福田　うん。「俺は大丈夫、俺は大丈夫」ってずっと
言い聞かせてるよ（笑）。そういうのは大事だという
話を聞いて、それからやるようにしてる。

平岡　試合中もそうやって思ってるんですか？

福田　いや、試合に入る前に思ってるかも。「大丈
夫、大丈夫」って思ってるね。

平岡　参考にしよう。

──そのようにポジティブに考えるようにするきっ
かけがあったのですか？

福田　湘南に入ってきたときとか、ゴールを決めていないとどうしても言われるし、そういう声も聞いてしまうじゃないですか。サッカーはメンタルのスポーツだと思っているから、そこでいろんな人と話して、常にポジティブにいるようにしています。

「当たり前をどれだけやれるか」(福田)

――序盤戦を振り返って、感じていることを教えてください。

平岡　智さん(山口智監督)も話していますが、失点のところは課題だと思っています。得点を取れていることについては継続しながら、守備をもっと詰めたい。そうすればチームもおのずと良くなっていくと思います。

福田　90分間プレーしている中で(集中力が)ふと切れたときにやられているので、智さんも言っているボールに対する執着心やキワのところなのかなと思います。でもみんなよくやっていると思うので、さらに突き詰めていきたいですね。

平岡　あと個人としてはクオリティーの部分。やはり強いチームには攻守において試合を決める選手が何人かいるので、そういう選手に近づくように自分はやっていかなければいけないと思いますね。

――序盤戦の中でよりどころになるような試合はありますか?

平岡　どれかな……。

福田　それで言ったらパッと思い浮かぶのはヴェルディ戦かも。

平岡　前半?

福田　うん、チームとしてけっこう良くて。

平岡　確かに、先制してから前半の途中ぐらいまではけっこう良かったですよね。

福田　うん。最後2点決められてしまったからもちろん反省はあるんだけど。

平岡　そうですね。俺はどうしても勝った試合になるけど、京都戦は……。

福田　ああ、良かったね。

平岡　うん、全員がひとつになったと思うし。あの試合もピンチはあったにせよ、相手の特徴に対してやるべきことを明確にしてやり切ったと思う。やっ

ぱりこの世界はひとつの気の抜けとかで失点してしまう。個人で90分間ずっと切らさないのは難しいと思うから、チームでカバーし合ったり、声を掛け合ったりという、よく言われるような基本的なことがほんとに大切かなと思いますね。

――いま話に出たヴェルディ戦で福田選手はJ1初スタメンを果たしました。何か感じたことはありますか?

福田　先発したら時間が長いので、もちろん途中出場とは強度も全然違います。その中で守備を意識し過ぎて、正直、得点にあまりフォーカスできていなかった。怖い場所にいられなかった印象がありました。でもそこのバランスはつかめたと思うので、いまはポジティブに捉えています。

――冒頭に触れたマリノス戦では、10人になって追い付いた後もチームとして最後まで攻めの姿勢を崩さなかったですね。福田選手も小野瀬康介選手と絡んで前に推進力を傾けていました。

福田　攻めたい気持ちはもちろんあったし、でも1人少なかったので、攻めて変なカウンターを食らって勝点をこぼすのは怖かったから、少し受け身になった部分も自分は正直ありました。もっと攻めの意識があってもよかったのかなと思うけど、みんなすごく疲れていたから、ちょっと時間をつくりたいなとも思っていました。

平岡　でも俺は翔生くんチャンスあるなと思ったよ。アディショナルタイムが8分って出たときに、「おお、行ける!」みたいな(笑)

福田　あ、ほんとに?

平岡　うん。10人でせっかく同点に追い付いたから早く終わってほしいと思うのが普通だと思うけど、翔生くんと康介くん、ツグ(石井久継)、ルキアンがいて、みんな俺にはない特徴を持っているから、もう1点入るんちゃうかって思っていました。プレーしている人はしんどいやろなと思うけど。

――そのマリノス戦の試合後、選手たちがゴール裏へあいさつに行った際に、サポーターから拍手と声援が送られていた光景も印象的でした。

平岡　温かったですね……。

福田　温かったね。次も頑張ろうってめっちゃ思うよね。

Noguchi Takehiko

平岡　うん。結果がいちばん大事やけど、まずは自分たちがやり切ることが大事ですよね。

——ここからに向けて気持ちを聞かせてください。

福田　やっぱり1試合に懸ける思いをもっともっと大事にしていかなければいけないなと思います。マリノス戦が終わった後のサポーターの皆さんの雰囲気を見ていると、ああいう試合を続けていけば勝点は必ずこぼれてくるし、勝てると思う。当たり前をどれだけやれるか。それを大事にしていきたいですね。

平岡　俺は毎年ここから落ちてしまっている部分があるから、なんとか上げていくために、翔生くんが言ったように1試合やワンプレーに懸けるこだわりは大事だと思う。試合当日だけでなく、それまでの準備も含めて大切にしていきたい。個人としては、

自分はまだたいした選手じゃないけど、それでも試合を決める選手になれたらいいなと思います。自分が試合を決めてやるぐらいの気持ちを11人全員が持てば強いと思うので、それを当たり前にしていきたい。そうやってプロとして価値を高めていきたいなと思います。

——お二人の絡みももっと見たいですね。

福田　そうですね。

平岡　ゴールとアシスト、いきたいですね。

福田　いきたいなあ。

平岡　俺にアシストしてくれ（笑）

福田　いや、おまえが俺にアシストしてくれ（笑）

平岡　ハハハハハ。やっぱ得点のほうがカッコイイもん。気持ちいいし、記録に残るし。

福田　それは間違いないな（笑）

SB

37

PLAYERS

今シーズンの湘南ベルマーレに所属する
全選手を背番号順に紹介。
写真はすべて馬入サッカー場で撮影

生年月日／出身／身長／体重／最近のひそかなこだわり

Photography by Kaneko Shin-ichiro, Onishi Toru

GK 1 ソンボムグン

1997年10月15日 大韓民国 196cm 93kg

「日々の練習にこだわって取り組んでいます」

DF 2 杉岡大暉

1998年9月8日 東京都 182cm 75kg

「赤ちゃんをどう抱っこすれば落ち着くかを試行錯誤しています」

DF 3 畑大雅

2002年1月20日 東京都 177cm 75kg

「髪型」

DF 4 舘幸希

1997年12月14日 三重県 173cm 73kg

「デジタルデトックス」

MF 5 田中聡

2002年8月13日 長野県 175cm 73kg

「何があっても思い詰めないように生きています」

DF 6 岡本拓也

1992年6月18日 埼玉県 175cm 75kg

「5本指ソックスから普通の靴下に変えました（サッカーもプライベートも）」

MF 7 阿部浩之

1989年7月5日 奈良県 170cm 67kg

「読書すること」

DF **8** 大野和成

1989年8月4日 新潟県 180cm 75kg

「練習がある日の朝は白米を食べています」

FW **9** ディサロ燦シルヴァーノ

1996年4月2日 東京都 175cm 72kg

「試合食では必ずパスタを食べること」

MF **10** 山田直輝

1990年7月4日 埼玉県 168cm 66kg

「本当にない！(笑)」

FW **11** ルキアン

1991年9月21日 ブラジル 183cm 87kg

「コンディション維持とケガ予防のために専属トレーナーとトレーニング」

MF **13** 平岡大陽

2002年9月14日 兵庫県 173cm 68kg

「いろんな柔軟剤を試そうと思う」

MF **14** 茨田陽生

1991年5月30日 千葉県 173cm 69kg

「睡眠の質にはこだわっています」

MF **15** 奥野耕平

2000年4月3日 兵庫県 176cm 68kg

「寝る前に時間をつくること」

FW **16** 根本凌

2000年2月3日 神奈川県 184cm 83kg

「観葉植物の手入れ」

MF 18 池田昌生

1999年7月8日 大阪府 177cm 71kg

「試合2日前のサウナ」

FW 19 福田翔生

2001年3月23日 福岡県 173cm 63kg

「カッコいいスニーカーを探すこと」

GK 21 馬渡洋樹

1994年8月16日 福岡県 187cm 82kg

「こだわりがないのがこだわりです」

DF 22 大岩一貴

1989年8月17日 愛知県 183cm 78kg

「魚を食べること」

GK 23 富居大樹

1989年8月27日 埼玉県 182cm 74kg

「こだわりは特にありません」

DF 28 吉田新

2000年6月29日 千葉県 173cm 69kg

「自分の体のことを分析して弱いところを見つけ克服すること」

FW 29 鈴木章斗

2003年7月30日 大阪府 180cm 73kg

「こだわらないことにこだわってる」

MF 30 鈴木淳之介

2003年7月12日 岐阜県 180cm 77kg

「常に自然体でいること」

GK 31 真田幸太

1999年4月21日 神奈川県 192cm 90kg

「一日一善」

DF 32 松村晟怜

2003年12月3日 新潟県 184cm 77kg

「ハマっているボウリングで確実にスペアを取ること。最高スコアは219」

DF 33 髙橋直也

2001年5月28日 大阪府 180cm 70kg

「暖かくなってきたので、衣替えをして、1枚で映えるシャツを買いました」

MF 37 鈴木雄斗

1993年12月7日 神奈川県 184cm 77kg

「子育てのこだわりは、子どものわがままを聞くこと」

DF 47 キムミンテ

1993年11月26日 大韓民国 187cm 84kg

「野菜を好きになれるように頑張っています」

FW 77 石井久継

2005年7月7日 岡山県 170cm 65kg

「夜2時間ぐらいテレビを見ながらストレッチしています」

MF 88 小野瀬康介

1993年4月22日 東京都 178cm 69kg

「朝食を抜かないこと」

馬入ふれあい公園サッカー場

〒254-0026 神奈川県平塚市中堂246-1

アクセス①：JR 平塚駅からバスで行く

①-1 『平塚駅北口行』か『東八幡工業団地行』のバスに乗る

JR『平塚』駅北口に出て、9番乗り場から（朝9時までは12番乗り場から）、以下のいずれかのバスに乗る。

●平07系統 馬入・八幡経由『平塚駅北口行』

●平09系統 馬入・小松製作所経由『平塚駅北口行』

●平09系統 馬入・古川電工前経由『東八幡工業団地行』

※いずれも『馬入ふれあい公園入口』下車、徒歩約5分。バス代210円。

①-2 『茅ケ崎駅行』のバスに乗る

JR『平塚』駅北口に出て、9番乗り場から『茅ケ崎駅行』に乗る。

※『馬入橋』下車、徒歩約10分。バス代210円。

アクセス②：JR 平塚駅から徒歩で行く

徒歩約25分

HOME GAMES
IN MARCH AND APRIL

ホームゲーム戦記

2024年3月・4月にレモンガススタジアム平塚で明治安田 J1リーグ計3試合が行われた。
湘南ベルマーレがホームに浦和レッズ、東京ヴェルディ、ヴィッセル神戸を迎えた試合を振り返る。

文=大西 徹　Words by Onishi Toru
写真=兼子慎一郎　Photography by Kaneko Shin-ichiro

46

2024明治安田 J1リーグ **第4節**

2024年3月17日 15:03キックオフ　レモンガススタジアム平塚
入場者数：12,628人、天候：晴、中風、気温：20.8℃、湿度：34％、ピッチ：全面良芝

湘南ベルマーレ 4−4 浦和レッズ

湘南得点	23分 ルキアン、32分 鈴木章斗、46分 鈴木章斗、74分 ルキアン
浦和得点	11分 興梠慎三、55分 松尾佑介、64分 前田直輝、81分 サミュエル グスタフソン

得点ラッシュ、結末はドロー

　浦和レッズとの一戦は、スリリングな展開を見せた末、4-4の引き分けに終わった。試合は11分、浦和の興梠慎三による先制点で始まったが、湘南は23分にルキアン、32分に鈴木章斗が得点し、前半を2-1でリードして終える。後半開始早々の46分、相手のパスをカットした鈴木章が再びネットを揺らし、3-1とリードを広げるも、55分に松尾佑介、64分に前田直輝に得点を許し、同点に追い付かれた。74分、ルキアンがゴールを挙げ再びリードを奪うが、81分には浦和のサミュエル グスタフソンに同点ゴールを許し、試合は4-4で幕を閉じた。

　湘南はチーム全体で17本のシュートを放った。ルキアンは移籍後初のゴールを含む活躍で存在感を示し、鈴木章はシュート5本を試みる積極性を見せた。しかし、守備面では4点を許し、一時的なリードを保てなかったのは大きな課題だ。特に、後半に入ってからの守備の甘さが目立ち、途中出場の松尾にシュート3本を許すなど、浦和に計16本のシュートを打たれた。攻撃の輝きと守備の課題が浮き彫りになる一戦だった。

47

2024明治安田 J1リーグ　第6節

2024年4月3日 19:03キックオフ　レモンガススタジアム平塚
入場者数：6,803人、天候：雨、弱風、気温：14.8℃、湿度：87%、ピッチ：全面良芝

湘南ベルマーレ　1-2　東京ヴェルディ

湘南得点	15分 ルキアン
東京V得点	75分 谷口栄斗、86分 山見大登

先制点を挙げるも、ホームで苦い敗戦

　降りしきる雨の中で行われた今シーズン最初のナイトゲーム。ホームの湘南が試合序盤から攻勢をかけた。15分に平岡大陽のスルーパスを受けたルキアンが冷静に右足を振り抜いてゴールネットを揺らし、東京ヴェルディから先制点を奪う。湘南はその後、試合の主導権を握りながらも追加点を挙げることはできず、1-0で前半を折り返す。

　東京Vは後半開始から森田晃樹に代えて山見大登を送り込む。湘南は池田昌生や福田翔生を中心にゴールを狙うが、得点には結びつかない。1点リードで迎えた75分、谷口栄斗によるヘディングで同点に追い付かれると、86分には途中出場の山見に逆転ゴールを許し、ホームで苦い逆転負けを喫した。

　後半はシュート10本を打ちながらもフィニッシュの精度を欠いて追加点を挙げることはできなかった。試合終盤には東京Vの猛攻を浴び、守備の脆さが露呈して立て続けに失点。試合後、山口智監督は後半の戦い方について自身の責任を認めた。この敗戦をバネに、湘南はどのように逆境を乗り越えていくか、今後の巻き返しに注目が集まる。

2024明治安田 J1リーグ **第9節**

2024年4月20日 15:03キックオフ　レモンガススタジアム平塚
入場者数：10,618人、天候：曇、中風、気温：20.8℃、湿度：48％、ピッチ：全面良芝

湘南ベルマーレ 0-1 ヴィッセル神戸

湘南得点

90+3分 武藤嘉紀

得点には至らず、終了間際に痛い失点

前半はヴィッセル神戸の強力な攻撃にさらされ、9本のシュートを許した。湘南のシュートはルキアンの1本のみ。それでも、堅実な守りで相手の攻撃を抑え、無失点で前半を折り返した。

後半に入ると、畑大雅と茨田陽生に代えて杉岡大暉と奥野耕平を投入し、湘南は攻勢を強める。後半途中には福田翔生や平岡大陽が交代で入り、杉岡らの積極的なプレーは攻撃を活性化させ、チームは後半に9本のシュートを放つ。しかし、チャンスを生かし切れず、得点には至らなかった。

試合は終了間際のアディショナルタイムに大きく動く。髙橋直也のパスがルキアンに届かず、神戸にゴール前まで迫られると、武藤嘉紀による一撃で失点を喫し、0-1で敗れる痛い結果となった。

湘南は前半、攻撃時に選手たちがそれぞれの能力を十分に発揮できなかった。後半はチャンスをつくりながらも最後の場面で精度を欠いて得点を奪えず、結果として貴重な勝点を逃してしまった。この試合で明らかになった課題をチーム全体で共有し、今後の試合に向けて改善が求められる。

55

レモンガススタジアム平塚

〒254-0074 神奈川県平塚市大原1-1 平塚市総合公園内

▶アクセス①

JR「平塚」駅北口からバスや徒歩で行く

●シャトルバスで行く

湘南ベルマーレのホームゲーム開催時は、キックオフ2時間前からシャトルバスが出ています(キックオフ2時間前よりも早い時間帯にバスに乗りたい場合は、路線バスを利用します)。

[シャトルバス 概要]
往路:北口 11番のりば(キックオフ2時間前から随時運行)
復路:平塚市総合公園 南第1駐車場シャトルバス発着所(試合終了後は約5分間隔で運行 最終は30～40分間順次運行)
所要時間:約7分
運賃:大人210円(IC:210円)、小児110円(IC:50円)

●徒歩で行く

「平塚」駅北口・西口からスタジアムまで、所要時間(徒歩)は約25分です。

●路線バスで行く

[路線バス 概要]
のりば:北口4番のりば
下車場所:総合公園
所要時間:バス約7分、バス下車後徒歩3分
運賃:大人210円(IC:210円)、小児110円(IC:50円)

[路線バス 系統]
のりばでご確認ください。

▶アクセス②

小田急線「伊勢原」駅南口からバスで行く

●シャトルバスで行く

湘南ベルマーレのホームゲーム開催時は、「平塚」駅だけでなく「伊勢原」駅からもシャトルバスが出ています。

[シャトルバス 概要]
往路:南口1番のりば(キックオフ1時間半前に運行)
復路:平塚市総合公園 南第1駐車場シャトルバス発着所(試合終了後は10分頃と20分頃の2本)
所要時間:約20分
運賃:大人390円(IC:390円)、小児200円(IC:50円)

●路線バスで行く

[路線バス 概要]
のりば:南口1番のりば、2番のりば
下車場所:共済病院前総合公園西
所要時間:バス約20分、バス下車後徒歩5分
運賃:大人390円(IC:390円)、小児200円(IC:50円)

[路線バス 系統]
のりばでご確認ください。

SHONAN BOOK ISSUE05

発行　株式会社アトランテ
105-0003 東京都港区西新橋2-4-3-6F
https://atlante.jp
☎03-6403-0370
E-mail　support@atlante.jp

発行人・編集長
大西 徹　Onishi Toru

デザイン
大池 翼　Oike Tsubasa

表紙写真
兼子愼一郎　Kaneko Shin-ichiro

協力
株式会社湘南ベルマーレ

発行日
2024年5月11日